ドラゴンボール
DRAGON BALL

DragonBall 5

First published in Japan 1984 by Shueisha Inc., Tokyo.
French translation rights arranged with Shueisha Inc.,
and Glénat through Toei Animation Co. Ltd.
and Tokyo Business Consultant Sarl.

Traduction : Kiyoko Chappe
Lettrage : Yvan Jacquet / Fabrice Bras

BP 177, 38008 Grenoble Cedex.
ISBN 2.87695.211.4
Dépot légal : octobre 1996
Imprimé en France par Maury-Eurolivres
45300 Manchecourt

L'ULTIME COMBAT

LE COMBAT QUI OPPOSE SANGOKU ET JACKY CHOUN SEMBLE BIEN ENGAGÉ. FACE À FACE, ILS S'OBSERVENT TOUR À TOUR, ESPÉRANT TROUVER UNE FAILLE DANS LA GARDE DE L'ADVERSAIRE.
QU'EST-CE QU'IL RACONTE CET IMBÉCILE !

HUMF ! HUMF !

NOUS NOUS ÉCHAUFFONS, C'EST TOUT !
ZIP

ET HOP !
CHLOPH !
PRENDS ÇA !

GRAT !
CHLOPH !
PUIS ÇA !!!
ET ENCORE ÇA !

ZIP !
GRRR !

ZIP !
GRRR !

YAAH!
ZIP

TOC!

HÉ! HÉ!
CHLOPH!
QU... ?
ZIP

TOC!

OUPS ?!
BOUM!

PLAF!
PLAF!
OUILLE !!!

AARG !

EH OUI, TU VIENS DE SUBIR LA TECHNIQUE DU SINGE !
IL EST AUSSI RAPIDE QU' UN SINGE...

PASSONS AUX CHOSES SÉRIEU-SES !
CETTE FOIS C'EN EST TROP !

TU VIS TES DERNIERS INSTANTS !
CAR DANS QUELQUES SECONDES...
QU... ?

UN ÉVÉNEMENT IMPORTANT SE PRÉPARE ! JACKY CHOUN SEMBLE BIEN DÉCIDÉ À SE DÉBARRASSER DÉFINITIVEMENT DE SANGOKU...

GLOUPS !!!

CLIC !

FAIS DODO...
...COLAS MON P'TIT FRÈRE ...

QU ...?

... FAIS DODO ...
... T'AURAS DU LOLO !

ZZZ

BOUM !
RONFLE ! RONFLE !

MON DIEU !

HÉ ! HÉ !

TU AS VOULU JOUER LE MALIN ! MAIS VISIBLEMENT TU NE CONNAISSAIS PAS LA TECHNIQUE DU SOMMEIL.
LOVE !

VOUS L'AVEZ HYPNOTISÉ ?
QU'EST-CE QUE TU RACONTES ENCORE ?
METS LE CHRONOMÈTRE EN ROUTE !

CETTE FIN DE COMBAT MANQUE DE PANACHE...
C'EST PAS MON PROBLÈME ! C'EST LE RÉSULTAT QUI COMPTE !

UN !
DEUX !

SANGOKU ! RÉVEILLE-TOI !
OUVRE LES YEUX, FAINÉANT !

PAS LA PEINE D'IN-SIS-TER...
JE SUIS LE SEUL À POUVOIR LE RÉ-VEILLER !

CINQ ! SIX !
OOH !

DEBOUT ! TU NE PEUX PAS PERDRE COMME ÇA !
RELÈVE-TOI !

SEPT !
MAINTE-NANT C'EST SÛR, J'AI GAGNÉ !
ÇA LUI SERVIRA DE LEÇON !

HUIT !
ZZZZ
NEUF !
TILT ! J'AI UNE IDÉE !

SANGOKU ! C'EST L'HEURE DE LA SOUPE !

QU... ?
MANGER ?!
ZIP!
MANGER ?!

J'AI FAIM !
COMMENT ...?

NOM D'UN COCHON JOUFFLU ! IL EST RÉVEILLÉ !
OUF !
OUAIS !!

SANGOKU EST TOUJOURS EN COURSE POUR LE TITRE ! IL S'EST RELEVÉ JUSTE AVANT LA FIN DU DÉCOMPTE...
BULMA ! T'ES GÉNIALE !
C'ÉTAIT MOINS UNE !...

IL EST OÙ, CE REPAS ?!
VOUS MANGEREZ QUAND LE COMBAT SERA TERMINÉ.

VIENS DONC SI TU L'OSES !
DANS CE CAS...
... JE VAIS EXPÉDIER CETTE MOMIE EN UN TEMPS RECORD !

GRRR !
ZIP
YAAAH !

TAC !

PIERRE !!!
VIEUX PRÉTEN-TIEUX !

CISEAUX !
PLAF !

PAPIER !
TAC !

QU... ?
ÇA N'A PAS L'AIR DE LUI FAIRE GRAND-CHOSE !

CETTE TECHNIQUE, JE LA CONNAIS PAR COEUR !
C'EST PAS POSSIBLE...

... SEUL MON GRAND-PÈRE LA CONNAISSAIT !
...

J'ESSAIE ENCORE !
N'INSISTE PAS !

PAP...

...PIERRE !

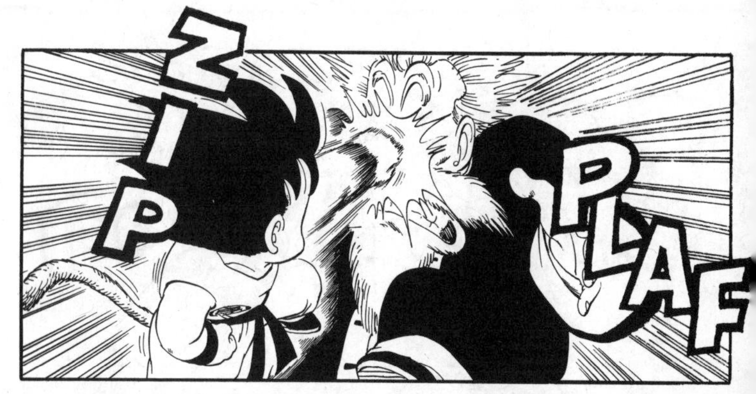
ZIP
PLAF

BING!

JACKY CHOUN EST AU SOL, ET LE CHRONOMÈTRE VIENT DE DÉMARRER...
UN ! DEUX ! TROIS !

IL SE RELÈVE !
AMUSANT ! TU ANNONCES PAPIER, ET TU FAIS PIERRE...

TU L'AURAS VOULU !
JE NE VOULAIS PAS EN ARRIVER LÀ, TANT PIS POUR TOI...

ドラゴンボール
DRAGON BALL

LA LUTTE EST ACHARNÉE ! SI NOUS DEVIONS DONNER UN FAVORI À CET INSTANT DU COMBAT, NOUS DONNERIONS UN LÉGER AVANTAGE À SANGOKU...
LE TEMPS PASSE, ET LE SOLEIL EST EN TRAIN DE SE COUCHER...

IL FAUT EN FINIR !
TU N'AS AUCUNE CHANCE !

JACKY CHOUN A L'AIR FATIGUÉ.
VAS-Y SANGOKU !!!

JE VAIS DEVOIR UTILISER MA TECHNIQUE LA PLUS PUISSANTE...
... C'EST DANGEREUX, MAIS IL N'EN MOURRA PAS.

QU...?

DOMMAGE...
...TU VAS PERDRE CE COMBAT !

AH OUAIS ?!
TU ES SÛR QUE TU N'AS PAS LES CHEVILLES QUI ENFLENT ?

SALE MICROBE !
TU VAS TESTER LA TECHNIQUE QUE J'AI DÉJÀ FAIT SUBIR...

... À TON GRAND-PÈRE !

MON GRAND-PÈRE ?! TU T'ES BATTU AVEC MON GRAND-PÈRE ?!
QUOI ?.

PLAF !
HUMMM...

HUMMM...

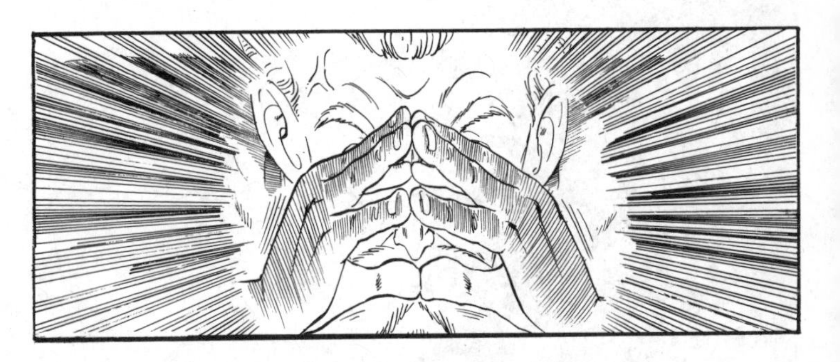

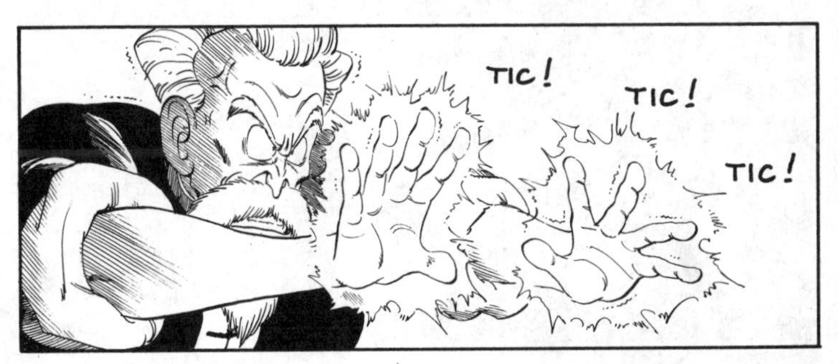
TIC !
TIC !
TIC !

?!
OH !

QU... ?

MON DIEU !

NA-MA-MI-DA-BUT-SU !!

CHLOPH!

TAC!
CRAC!

HEIN?

AAAH!!
TAC!

TAC!
YAAH!

CETTE FOIS SANGOKU A L'AIR MAL EN POINT ! JACKY CHOUN LE TIENT EN SON POUVOIR !
CHLOPH!
OUILLE!

OH!
SANGOKU !!!
IL EST FICHU !

GRRR!

AVOUE TA DÉFAITE, AVOR-TON !
AVOUE ! SINON TU VAS MOU-RIR !

TIC! TIC! TIC!
JAMAIS!
JE N'AI PAS ENCORE PERDU !!!
BL BL BL !!!
RÉSISTE ENCORE UN PEU, ET TU ES MORT!
AAAH!
TIENS BON, SAN-GOKU !!!
NE L'ÉCOUTE PAS! T'ES LE MEIL-LEUR!

JE CROIS QUE...
... JE N'ARRIVERAI PAS À TENIR LONGTEMPS !
TU T'ES BIEN BATTU !!!
TON GRAND-PÈRE N'AVAIT PAS RÉSISTÉ AUSSI LONGTEMPS...
QU'EST-CE QUI M'ARRI-VE ?!
QU... ?!

GRR
!!
C'EST...
...C'EST PAS POSSI-BLE !

GHLOPH !!
QU... ?!!

C'EST LA PLEINE LUNE !
GLOUPS !
LA LUNE !!!

ドラゴンボール
DRAGON BALL

GRRRR

SANGOKU S'EST MÉTAMORPHOSÉ EN UN ÉNORME SINGE !
IL SEMBLE DORÉNAVANT AUSSI INDESTRUCTIBLE QU'INCONTRÔLABLE !

...GRRR
AAAH !!!

SANGOKU FAIT PREUVE D'UNE CRÉATIVITÉ ÉTONNANTE ! CETTE NOUVELLE TECHNIQUE RISQUE BIEN DE DESTABILISER JACKY CHOUN...
C'EST PAS UNE TECHNIQUE...
...C'EST UNE CATASTROPHE !
ON EST MAL BARRÉS !
GRRR
GRRR

IL A RÉUSSI À PARER MA TECHNIQUE DU
NAMAMI-DABUTSU !!!

GRRR
NOM D'UNE TORTUE GÉANTE !

CRAC!

CRAC
GROUMF... !!!
GRRRR
AAH !

C'EST LA PANIQUE ! LE PUBLIC EST TERRORISÉ PAR CET ÉTRANGE MONSTRE POILU...
SI JE N'ÉTAIS PAS ARBITRE, J'AURAIS DÉJÀ PRIS MES JAMBES À MON COU !
OH ! AH !
OH !
D'UN AUTRE CÔTÉ, SI JE M'ENFUIS, JE PERDS LE COMBAT...
ET MOI DONC !!!
GRRRR
GROUMF !!!

SANGOKU ! REDEVIENS NORMAL ! C'EST UN ORDRE !
LA SÉCURITÉ DU PUBLIC N'EST PLUS RESPECTÉE !
PAF
ÇA VA PAS, NON ?!
NE RISQUE PAS TA VIE INUTILEMENT, KRILIN...
... IL A REGARDÉ LA PLEINE LUNE ! IL NE SE CONTRÔLE PLUS !
QU... ?

IL NE RESTE QU'UNE CHOSE À FAIRE...
... ET JE VAIS M'Y EMPLOYER !

PLAF!
BOUM
NOM D'UNE...
CETTE FOIS, IL VA LE REGRETTER !
ZIP !
PLUME ! JE VAIS ESSAYER DE LE RETENIR ! TRANSFOR-ME-TOI EN CISEAUX ET COUPE-LUI LA QUEUE !
D'ACCORD! GLOUPS...

HEIN ?
REGARDEZ CHOUN ! IL PRÉPARE QUELQUE CHOSE, C'EST SÛR !!!
GRR !!

GRRR

PUISSANCE MAXIMALE !!!
KA... ME... HA... ME... HA !

IL FAUT L'EN EMPÊCHER ! IL N'A PAS LE DROIT !
IL VA TUER SANGOKU !!!

KA...
ME...
HA...
ME...
HAAA!!

CRAG!
ZOOOON!!!

CRAC!

BOUM !

BING !

TAC ! TOC !

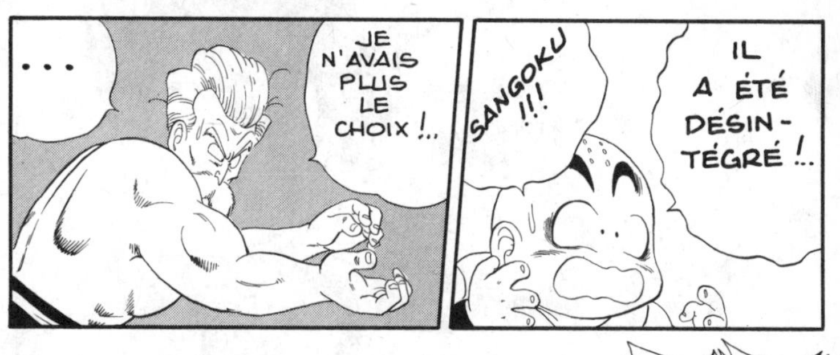

ドラゴンボール

LE COMBAT VIENT DE PRENDRE FIN ...
... SANGOKU A ÉTÉ RÉDUIT À L'ÉTAT DE POUSSIÈRE...
PUF!
PUF!

NOUS DÉCLARONS DONC VAINQUEUR DE CE TOURNOI : JACKY CHOUN !!!
ASSASSIN !!!
IL N'ÉTAIT PAS OBLIGÉ DE LE TUER !

MEURTRIER ! TUEUR D'ENFANT ! J'AURAI TA PEAU ! JE L'JURE !

CALMEZ-VOUS...
... ET REGARDEZ PAR LÀ ...

KEUF... KEUF !
HUM...

MAIS C'EST...
... LA QUEUE...
... DE SANGO-KU !

CE N'EST PAS LUI QUE JE VOULAIS FAIRE DISPARAÎ-TRE...
...MAIS LA LUNE.

HEIN ?!
QU...

LA... LA LUNE ?!
LA LUNE AYANT DIS-PARU, SAN-GOKU N'AURA PLUS JAMAIS L'OCCASION DE SE MÉTA-MORPHO-SER.

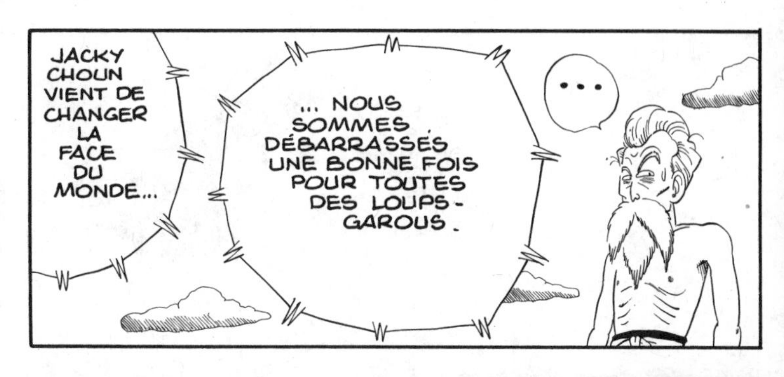
JACKY CHOUN VIENT DE CHANGER LA FACE DU MONDE...
... NOUS SOMMES DÉBARRASSÉS UNE BONNE FOIS POUR TOUTES DES LOUPS-GAROUS.
...

COMPTE AU LIEU DE BAVARDER !
BIEN M'SIEUR.

UN ! DEUX !
?

QU... ?
OÙ SONT MES VÊTEMENTS ?

DRÔLE D'HISTOIRE...
IMBÉCILE !
IL S'EST RELEVÉ AVANT QUE TU AIES FINI DE COMPTER !
GRRR !

J'ÉTAIS SÛR QU'IL N'ÉTAIT PAS MORT !
OUF !
IL EST EN VIE !

J'AI PERDU BEAUCOUP D'ÉNERGIE EN RÉALISANT LA TECHNIQUE DU KAMEHA-MEHA...
IL FAUT QUE JE ME MÉFIE ! IL EST PLUS FORT QUE PRÉVU...

HA !
HA !
HA !

NOUS ALLONS INTER-ROMPRE LE MATCH UN INSTANT ...
... FAUDRAIT VOIR À VOUS HABILLER UN PEU...
... ÇA NE FAIT PAS SÉRIEUX !

MAIS OÙ EST PASSÉ LE MIEN ?
BOUGE PAS ! JE TE PRÊTE MON KIMONO.

OK !
FAIS UN TROU POUR TA QUEUE.

T'ES BIZARRE, QUAND MÊME...
ÇA T'ARRIVE SOUVENT, CE GENRE DE TRUC ?

QUEL TRUC ?
TU NE TE SOUVIENS DE RIEN ?

APRÈS TOUT, C'EST AUSSI BIEN COMME ÇA -

?
VAS-Y ! ÉCRASE-LE, CE VIEUX GÂTEUX !

TIENS ? Y'A EU DU GRABUGE ICI...
PEUT-ÊTRE UNE TEMPÊTE ?!

MESDAMES ET MESSIEURS ...SANGOKU !
NOUS ALLONS ENFIN CONNAÎTRE L'ISSUE DE CE COMBAT !
J'AI FAIM...

PUF!
PUF!
J'AI VRAIMENT...
...SUPER FAIM !

C'EST PAS COOL !
MAINTENANT, PLUS DE PITIÉ !
KA... ME... HA... ME... HA !

!!
SPLURCH ...
!!

ON DIRAIT QU'IL Y A COMME UN PETIT PROBLÈME D'EFFICACITÉ DANS LA TECHNIQUE DE JACKY CHOUN...
MON FLUX ÉNERGÉTIQUE EST TROP FAIBLE...

TU AS UN PROBLÈ-ME GRAND-PÈRE ?...

...TES BATTE-RIES SONT À PLAT...
...FINIES TES SUPER TECHNI-QUES...

...ET TA VANTAR-DISE À TOUTE ÉPREUVE ...
... À MON TOUR DE TE RIDICU-LISER !

KA... ME... HA...
QU...?!
ATTENDS !!!

CHLOPH
GRRR !

PAF
OUPS ?!

ET MAINTENANT !...

PRENDS ÇA... !!!
SANGOKU VIENT DE SE PROPULSER DANS LES AIRS DE FAÇON PHÉNOMÉNALE !
GLOUPS !!!
BING !

AAAAH !!!
TOC!
HÉ! HÉ!

TOC!
!!
GASP ?!
JE VAIS CHUTER HORS DU RING!

HORS DU RING ...
IL EST HORS DU RING !
COOL !
SANGOKU EST SACRÉ CHAMPION !
OH !
AH !
CLAP !
CLAP !
IL REMPORTE CE TITRE AVEC UN BRIO EXCEPTIONNEL !

SUPER ! T'ES LE PLUS COSTAUD !

MAIS ATTENDEZ UN PEU ...

HÉ ! LES GA-MINS !!!
REGAR-DEZ MON PIED...

OH !
IL N'A PAS ENCORE TOUCHÉ TERRE !!

EN EFFET !!!

NOUS NOUS VOYONS DONC DANS L'OBLIGA-TION DE POURSUIVRE LE COM-BAT...
OH !

IN-CROYA-BLE !
TU N'ES QU'UN SALE GAMIN !

LA PUISSANCE DE TA TECHNIQUE LAISSE À DÉSIRER...
... ET EN PLUS TU M'AS L'AIR BIEN FATIGUÉ !!!

IL VA FALLOIR QUE NOUS FASSIONS ABSTRACTION DE NOS TECHNIQUES
LE COMBAT VA ÊTRE PUREMENT PHYSIQUE !

C'EST BIEN POURQUOI TU VAS PERDRE !
JE DOIS ADMETTRE QU'IL EST AUSSI RAPIDE ET PUISSANT...
... QUE PETIT-PETIT ?! MAIS LA VOILÀ LA SOLUTION !
GRRR !

PETIT... J'AURAIS DÛ Y SONGER PLUS TÔT !
LE MATCH S'ÉTERNISE... LES DEUX CONCURRENTS SEMBLENT AMOINDRIS PAR LES EFFORTS QU'ILS ONT FAITS...
... MAIS IL FAUT UN SEUL ET UNIQUE VAINQUEUR À CE TOURNOI !

YAAH!
ZIP
GRRR!!!
!!

LA FOULE EN DÉLIRE SE DEMANDE BIEN CE QUI VA RÉSULTER DE CE NOUVEL ASSAUT. QUI DU JEUNE OU DE L'ANCIEN VA RÉUSSIR À FAIRE LA DIFFÉRENCE ?
VAS-Y !
OUAIS !
ZIP
YAAH !

GRRR!!!
CHLOPH!
ZIP!
HOP !
... ILS SONT À NOUVEAU DANS LES AIRS !

YAAH!!
YOOH!!

BAKOOM!

PAF
BOUM!
!!

TOUS...
...TOUS DEUX SONT À TERRE !!!
LE CHOC A ÉTÉ EFFROYABLE ! SOUHAITONS QU'AU MOINS L'UN DES CONCURRENTS PUISSE SE RELEVER POUR REMPORTER LA VICTOIRE ...

LE DÉCOMPTE VA COMMENCER !
UN !
DEUX ! TROIS !
QUATRE ! CINQ !
AAAH !
SANGOKU ! LÈVE-TOI !
TU DOIS GAGNER !
SIX !
SEPT ! HUIT !
HUM !
DEBOUT VIEILLARD !!!
CLAP ! CLAP ! OUAIS !
NEUF !!!

SANGOKU ! SANGOKU !!!
DEBOUT ! DEBOUT !

DIX !!!
... SERA SACRÉ CHAMPION CELUI QUI LE PREMIER SE LÈVERA ET DIRA EN SOURIANT : "C'EST MOI LE VAINQUEUR !"
COMME NI JACKY CHOUN, NI SANGOKU N'ONT PU SE RELEVER À TEMPS...

ALORS MESSIEURS, LEQUEL DE VOUS DEUX VA AVOIR LE COURAGE DE SURPASSER SA DOULEUR ?
ALLEZ !
OUAIS !
CLAP !
C'EST SIMPLEMENT UNE QUESTION DE MENTAL... POUR DES COMBATTANTS COMME VOUS, ÇA NE DEVRAIT PAS POSER DE PRO-BLÈME...

AH ! SANGOKU A L'AIR DE REPRENDRE SES ESPRITS... !!!
AARG !

...TOUT COMME JACKY CHOUN !
OUAIS !
ALLEZ MESSIEURS, UN PETIT EFFORT !
SANGOKU !
SANGOKU !
ALLEZ !
VAS-Y !

AARG !
SANGOKU EST DEBOUT ! IL VIENT DE FRANCHIR LA MOITIÉ DE LA DISTANCE QUI LE SÉPARE DU TITRE !
MAIS JACKY CHOUN LE TALONNE DE PRÈS...
C'EST... MOI... LE... VAINQ...

... LE VAINQ...

BOUM !

C'EST PAS VRAI ?!
SANGOKU VIENT DE RECHUTER LOURDEMENT...

... AU CONTRAIRE DE JACKY CHOUN QUI TIENT TOUJOURS SUR SES JAMBES !
C'EST... C'EST...

C'EST ...
C'EST MOI LE VAIN-QUEUR !!!

OH !
OH !
OH !

BRAVO !
CLAP !
CLAP !
OUAIS !
NOUS CONNAISSONS MAINTENANT LE NOM DE NOTRE CHAMPION...
IL S'AGIT DE JACKY CHOUN !!! AU TERME D'UN COMBAT SANS PITIÉ, IL A SU TRANSCENDER TOUTE L'ÉNERGIE QUI LUI RESTAIT POUR ACCOMPLIR LE GESTE DE LA VICTOIRE ! C'EST UN GRAND CHAMPION !

SNIF... SNIF...
JE TE FÉLICITE, C'EST LA PREMIÈRE FOIS QUE J'AI AUTANT DE MAL À VAINCRE UN ADVERSAIRE
JE NE DOIS MA VICTOIRE QU'À LA ROBUSTESSE DE MES JAMBES...

LA FOULE EST EN PLEIN DÉLIRE... ELLE VIENT D'ASSISTER À UNE FINALE COMME PEU DE GENS ONT LA CHANCE D'EN VOIR DANS LEUR VIE. CE MOMENT RESTERA GRAVÉ À TOUT JAMAIS DANS LEUR MÉMOIRE !

QU...?
J'AI PERDU ?!

TU AS FAILLI GAGNER...
OUI... MAIS...
...J'AI PERDU !

TU PENSES QUE SI JE M'ENTRAÎNE...
... ON REMETTRA ÇA ?
C'EST PROMIS !

SI JACKY CHOUN A ÉTÉ SUPERBE, SANGOKU N'A PAS DÉMÉRITÉ POUR SON ÂGE CE JEUNE GARÇON A FAIT PREUVE D'UNE DÉTERMINATION EXEMPLAIRE. APPLAUDISSONS-LE BIEN FORT !
CLAP !
CLAP !
CLAP !
BRAVO !
VOILÀ UNE CHOSE RÉGLÉE SANGOKU A PERDU, MAIS IL PEUT ÊTRE FIER DE SON COMBAT...

IL N'Y A PAS DE CONTESTATION POSSIBLE ET LE PUBLIC LE SAIT BIEN. C'EST VRAI QU'IL EST TRISTE DE VOIR SANGOKU BATTU, MAIS IL FAUT RESPECTER LA VICTOIRE DE JACKY CHOUN ET FAIRE PREUVE DE FAIR-PLAY...
ET MAINTENANT, POUR LE PLAISIR, JE VAIS VOUS DEMANDER D'ACCLAMER À NOUVEAU NOTRE CHAMPION. MERCI POUR LUI !
BRAVO !
CLAP ! CLAP !

VOICI VOTRE GAIN... 50 000 PIÈCES, COMME PRÉVU !
MERCI !
CLAP ! CLAP !
JE SUIS ÉPUISÉ !
OUF

C'EST PLUS DE MON ÂGE !
MESDAMES ET MESSIEURS, LES ORGANISATEURS DE CE TOURNOI VOUS REMERCIENT DE VOTRE PRÉSENCE ET VOUS SOUHAITENT UN AGRÉABLE RETOUR CHEZ VOUS.

TOUTES MES FÉLICITATIONS !
TU ÉTAIS LE PLUS FORT !
VOUS N'ÉTIEZ PAS MAL NON PLUS !

SALUT !
À TRÈS BIENTÔT J'ESPÈRE
SALUT !

TU CROIS QUE TORTUE GÉNIALE ÉTAIT DANS LE PUBLIC ?
DEMANDONS-LUI !

TU MARCHES BIZARREMENT ...T'AS ENCORE FAIM ?
C'EST RIEN DE LE DIRE !
JE MEURS DE FAIM !

CRAC!

HUM... HUM...

AAARG !!

CRAC!
OUILLE !!!

QU'EST-CE QU'IL FAUT PAS FAIRE ?

ET EN PLUS J'AI FAILLI PERDRE !
IM-PENSA-BLE !

VOUS N'AVEZ PAS VU TORTUE GÉNIALE ?
NON, POURQUOI ?
ÉTRANGE !
J'ESPÈRE QU'IL A VU LE COMBAT...

HÉ HO !
C'EST LUI !
OÙ ÉTIEZ-VOUS PASSÉ ?
J'ÉTAIS AUX TOILETTES !!!

VOUS AVEZ VU NOS MATCHS ?
SANS EXCEPTION !
VOUS AVEZ ÉTÉ...
...DIGNES DE MOI...
... JE SUIS FIER DE VOUS !

ET EN PLUS, SI SANGOKU N'AVAIT PAS EU LA FRINGALE, IL AURAIT REMPORTÉ LA FINALE !
DE TOUTE FAÇON, JACKY CHOUN ÉTAIT TROP FORT POUR MOI !

BIEN PARLÉ !
RETENEZ BIEN CECI ! ON TOMBE TOUJOURS SUR QUELQU'UN DE PLUS FORT QUE SOI !

QUE CELA VOUS SERVE DE LEÇON...
VOTRE APPRENTIS-SAGE DES ARTS MARTIAUX NE FAIT QUE COMMENCER.
COOL !!!
UN JOUR ON SERA LES PLUS FORTS.
QUAND JE PENSE QUE JE ME SUIS DONNÉ...
... TOUT CE MAL POUR EN ARRIVER LÀ...

CECI DIT, VOUS MÉRITEZ UNE RÉCOM-PENSE...
JE VOUS INVITE AU RESTAURANT !!!
AU RESTAU-RANT ?! COOL !

J'AI JAMAIS EU AUSSI FAIM !
MAN-GER ! MAN-GER !

AVEC PLAISIR !
VOUS VENEZ ?
OUAIS !
PAS DE CHANTAGE, HEIN ?!

RESTAURANT

CROUNTCH !
CROUNTCH !
MIAM !

MIAM !

SLURP !
SLURP !
T'AS TOUJOURS AUTANT D'APPÉ-TIT !
LA SUITE S'IL VOUS PLAÎT !
BIEN MON-SIEUR !

RESTAURANT

BURP !
AAAAH !
J'AI BIEN MANGÉ !

INCROYABLE !
IL A MANGÉ DE QUOI NOURRIR UNE ARMÉE !

C'EST POSSIBLE D'EN AVOIR UN PEU PLUS ?

...
C'EST UN MONSTRE !

EXCUSEZ-NOUS, MAIS...
...NOUS N'AVONS PLUS RIEN EN CUISINE !

APRÉS TOUT...
...C'EST MIEUX POUR MON RÉGIME !
BOUM !

47 000 PIÈCES, S'IL VOUS PLAÎT !
GASP ?!

MERCI POUR CET EXCELLENT DÎNER !
DE RIEN, C'EST NORMAL ...

J'AI DÉPENSÉ TOUT CE QUE J'AVAIS GAGNÉ...
...

VROUM !

VOUS ALLEZ CONTI-NUER L'ENTRAÎ-NEMENT ?
BIEN SÛR !

JE...
... VOUS AI DÉJÀ TOUT APPRIS ...

... IL VAUDRAIT MIEUX QUE VOUS VOUS ENTRAÎ-NIEZ...
... CHACUN DE VOTRE CÔTÉ !

... VOUS EN ÊTES CAPABLES.

DANS CE CAS ...
... JE VAIS RETROUVER LA BOULE DE MON GRAND-PÈRE !

TU PENSES ENCORE À CETTE HIS-TOIRE ?
BEN OUI !

T'AS DE LA SUITE DANS LES IDÉES !
COMME ÇA...

... JE CONTI-NUERAI À M'EN-TRAÎ-NER !
OUAIS, BEN T'IRAS TOUT SEUL !

ET TOI, KRILIN ?
FAUT QUE JE RÉFLÉCHISSE !
J'POURRAIS PAS RESTER UN PEU CHEZ VOUS ?

HUM...
HUM...
MOI QUI COMPTAIS RESTER SEUL AVEC LUNCH...

POUR VOUS REMERCIER DE VOTRE INVITATION, JE VOUS RACCOMPAGNE !
SYMPA !
C'EST GENTIL !

OÙ EST PASSÉE MA CAPSULE-AVION ?

Y'A MES AFFAIRES LÀ-DEDANS ?
OUI...
POURQUOI CETTE QUESTION ?

COMME ÇA...
JE VAIS PARTIR DIRECTEMENT !

TU NOUS QUITTES DÉJÀ ?!
JE DOIS RETROUVER LA BOULE DE MON GRAND-PÈRE !
BON ...

NUAGE SUPER-SONIQUE !!!

HÉ ! HÉ !
ZIP

ZIP !

BONNE CHANCE, SANGOKU !
MERCI !

C'EST QUOI CETTE HISTOIRE DE BOULE ?
T'OCCU-PE !

TU VEUX QUE JE VIENNE AVEC TOI ?
TU NE PEUX PAS MONTER SUR LE NUAGE ...

TU SAURAS TE SERVIR DU DÉTEC-TEUR DE DRAGON BALLS ?
SANS PROBLÈ-ME !
C'EST VRAI...

PRE-NEZ SOIN DE VOUS !
À BIENTÔT !

SALUT !

BON COURA-GE...
À BIENTÔT !!!
QUEL GAMIN !

SANGOKU NE PEUT PAS RESTER EN PLACE. ATTIRÉ PAR L'AVENTURE, IL SE REMET EN QUÊTE DU DRAGON BALL À 4 ÉTOILES QUE LUI AVAIT CONFIÉ SON GRAND-PÈRE...

LE JOUR VIENT
DE SE LEVER
SUR LA CAMPAGNE
LORSQUE SANGOKU
FAIT SON APPROCHE...

ZIP!
OUAH!

TIENS ...
... LE SOLEIL EST DÉJÀ HAUT DANS LE CIEL.

ZIP!

BLURB!
BLURB !

AAAH!
ÇA FAIT DU BIEN !
BON, C'EST PAS LE TOUT...

... AU TRAVAIL ! VOYONS VOIR CE QUE DIT LE DÉTECTEUR...

HUM...

MOI JE SUIS LÀ ET...
... LE DRAGON BALL EST ICI.

PAR LÀ-BAS !
ALLONS-Y !

HOP !

YAAH !

T'AS VU 'HEURE ?!
IL EST 8 HEURES PASSÉES

GASP ! BONJOUR MONSIEUR GRIS...
CESSE DE BAVARDER ! AU TRAVAIL !

À VOS ORDRES !
VROUM !

LE GÉNÉRAL ROUGE VEUT QUE NOUS ACCÉLÉRIONS LES RECHERCHES...
...HIER L'ÉQUIPE BEIGE EN A TROUVÉ UN. VOUS SAVEZ CE QUE ÇA VEUT DIRE. ALORS AU BOULOT !

SI VOUS NE RÉUSSISSEZ PAS DANS VOTRE MISSION, NOUS SERONS TOUS FUSILLÉS ! DÉGAGEZ !
BIEN MONSIEUR !

VROUM !
SI CES CRÉTINS NE TROUVENT PAS LES DRAGON BALLS ...

IL EST MARRANT, LUI...
CRITCH !
... C'EST PAS SI SIMPLE QUE ÇA !
CHERCHE AU LIEU DE PARLER !
ÇA FAIT 20 JOURS QUE JE CHERCHE !
ÉCOUTE ?!
J'ENTENDS QUELQUE CHOSE !

CHLOPH!
ET HOP !

ZIP!

VOYONS VOIR...
JE SUIS PRÈS DU BUT !

TOC !
HOP !

SNIF !
HÉ, PETIT !

TIRE-TOI D'ICI !
DRÔLE DE GAMIN...

J'AI TROUVÉ !!!

HUM...

HÉ ! HÉ !
?!
?!

ZUT !
LA BOULE À 6 ÉTOILES !
C'EST PAS CELLE DE MON GRAND-PÈRE...

REGARDE !!!
IL A TROUVÉ UN DRAGON BALL !

VOUS CONNAISSEZ LES DRAGON BALLS ?
T'OCCUPE !
MÊLE-TOI DE TES AFFAIRES !

T'AS UNE CHANCE PAS POSSIBLE, GAMIN...
...DONNE LA BOULE !

T'AS LE CHOIX, TU DONNES LA BOULE OU TU MEURS !
QUOI ?

BLA-BLA !

TU VAS ME LA DONNER, OUI?!
TAC!

TU TE PRENDS POUR QUI ?

BING!
YAAH !

TU L'AURAS VOULU !
PAN!
PAN
ZIP!
ZIP!
!!
ZIP!
YAAH!

ZIP
OUPS !
BING!
YAAH !
BOUM!
BOUM !
J'ESPÈRE QUE LA PROCHAINE SERA CELLE DE MON GRAND-PÈRE !
EN ROUTE !
CHLOPH!

C'EST PAS VRAI...

AH!

CHEF !!!
ON A ÉTÉ ATTAQUÉS!

BANDE D'INCAPABLES!
UN INSTANT! J'ENTENDS QUELQUE CHOSE...

ZIP!

ÇA DOIT ÊTRE LUI!

002
0.712
BOUM...!!
AAAH!
PLAF!

TOC !

CLIC !

POURQUOI T'AS FAIT ÇA ?!
T'ES MALADE ?!
ENCORE EN VIE ?

TU VAS ME LE PAYER !!!
TU AS DÉTRUIT MON NUAGE SUPER-SONI-QUE !

OH NON...

JUSTE DEUX QUESTIONS...
... POURQUOI CHERCHES-TU LES DRAGON BALLS, ET COMMENT FAIS-TU POUR LES TROUVER AUSSI FACILEMENT ?

TU DOIS AVOIR DES MOYENS QUI NE SONT PAS EN NOTRE POSSESSION...
TU T'IMAGINES QUE JE VAIS TE RÉPONDRE?
BLA-BLA !

BIEN...
TU AS TORT DE SOUS-ESTIMER UN LIEUTENANT DE L'ARMÉE DE RUBAN ROUGE !

ドラゴンボール
DRAGON BALL

SI TU NE PARLES PAS, TON MANQUE DE RESPECT VA TE COÛTER CHER !
RÉPONDS-MOI, ET PEUT-ÊTRE QUE JE T'ÉPARGNERAI...

EXCUSE-TOI...
...ET ON VERRA APRÈS.
QUELLE PRÉTENTION !
TOC !

YAAH !

ZIP
HOP !

ET VOILÀ !
FAIS-MOI VOIR CE DÉTECTEUR...

RENDS-MOI ÇA !

CHLOPH !

NON MAIS !

IL EST RAPIDE !

VISIBLEMENT, TU N'ES PAS N'IMPORTE QUI...
...JE VAIS ÊTRE OBLIGÉ D'EMPLOYER LA MANIÈRE FORTE,

FICHE-MOI LA PAIX !
C'QUI FAUT PAS ENTENDRE !
DANS 5 SECONDES TU SERAS MORT !
PRENDS ÇA !
ZIP
FLOP !
PLAF !
OUILLE !
JE VAIS TE...

YAAH!
CHLOPH!
ZIP!
BOUM!
ZIP!
HÉ! HÉ!

JE VAIS ÊTRE OBLIGÉ DE MARCHER !
PAUVRE NUAGE SUPERSONIQUE
À MOINS QU'IL N'AIT GARDÉ QUELQUES CAPSULES MAGIQUES EN RÉSERVE

COOL !!!

ALORS ...
AU HASARD : UN AVION !
ZIP!

TAC!
QU... ?

SALUT !
TU ES... ?

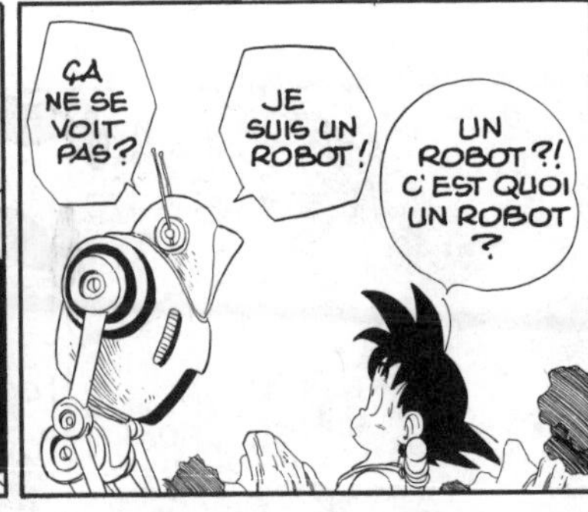
ÇA NE SE VOIT PAS ?
JE SUIS UN ROBOT !
UN ROBOT ?! C'EST QUOI UN ROBOT ?

JE SUIS À VOTRE SERVICE !
JE VOUDRAIS ALLER LÀ-BAS, MAIS...

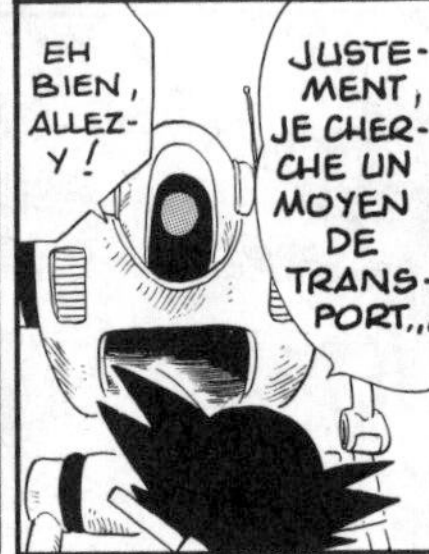
JUSTEMENT, JE CHERCHE UN MOYEN DE TRANSPORT...
EH BIEN, ALLEZ-Y !

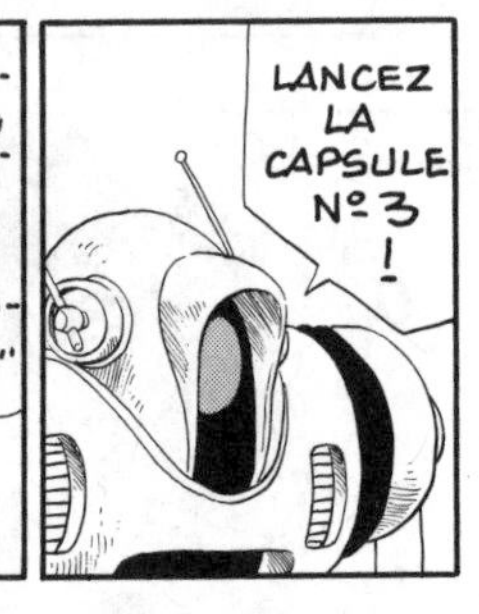
LANCEZ LA CAPSULE N°3 !

CELLE-LÀ ?

ZIP !

FLOP !
COOL !

C'EST UN AVION ÇA? COMMENT ÇA MARCHE?
JE VAIS PILOTER...
... POUR VOTRE CONFORT ET VOTRE SÉCURITÉ!

VROUM!
T'ES VRAIMENT SYMPA COMME ROBOT...

VROUM!
MAIS T'ES PLUS LENT QUE MON NUAGE!
VOTRE NUAGE ?!

QUARTIER GÉNÉRAL DE L'ARMÉE DU RUBAN ROUGE.

LE GÉNÉRAL ROUGE...
DIRE QUE J'AI LANCÉ TOUS MES HOMMES À LA RECHERCHE DES DRAGON BALLS ET QUE JE NE LES AI TOUJOURS PAS EN MA POSSESSION... C'EST POURTANT PAS COMPLIQUÉ!
C'EST UNE SIMPLE QUESTION DE PATIENCE, MON GÉNÉRAL...

...LE LIEUTENANT GRIS SEMBLE AVOIR QUELQUES PROBLÈMES.
POURRIEZ-VOUS VENIR VOIR?
VEUILLEZ M'EXCUSER, MAIS...
TOC! TOC!
OUI?!

LE DRAGON-BALL SE DÉPLACE !
JUSTE-MENT...

LE DRAGON BALL QUI EST SOUS LA RESPONSA-BILITÉ DU LIEUTENANT GRIS SE DÉPLACE EN DIRECTION DU LIEUTENANT BLANC. C'EST ANORMAL

QU'EST-CE QUE TOUT CELA VEUT DIRE ?
CON-TACTEZ IMMÉ-DIATE-MENT LE LIEU-TENANT GRIS !

BIP ! BIP ! BIP !

PAS DE RÉPON-SE?
PAS ENCORE !

AHH !

IL EST EN LIGNE !!!
PASSEZ-LE-MOI !
J'EXIGE DES EXPLICATIONS !!!

VROUM!
J'AI UN PEU FROID ! PAS TOI ?
LES ROBOTS N'ONT JAMAIS FROID !

QUOI ?! UN GAMIN EN POSSESSION D'UN DÉTECTEUR PLUS PERFECTIONNÉ QUE LE NÔTRE...
... ET IL A TROUVÉ LE DRAGON BALL ?! COMBIEN ÉTAIENT-ILS POUR VOUS LE SUBTILISER ?

IL ÉTAIT SEUL ?!
LIEUTENANT ! VOUS ÊTES BON POUR LE PELOTON D'EXÉCUTION !

UN GAMIN ?
UN MIOCHE ! UN SALE MIOCHE ! IL VA APPRENDRE CE QU'IL EN COÛTE DE S'OPPOSER AU GÉNÉRAL ROUGE !
BIEN, MON GÉNÉRAL !
CONTACTEZ IMMÉDIATEMENT LE LIEUTENANT BLANC ! DONNEZ-LUI ORDRE DE DÉTRUIRE LE GAMIN ET DE RÉCUPÉRER LA BOULE !

À VOS ORDRES, MON GÉNÉRAL !
NE RESTEZ PAS À CÔTÉ DE MOI ! JE SUIS PETIT, MAIS C'EST PAS UNE RAISON POUR ME RIDICULISER !
VROUM !

GLA... GLA... GLA... !!!
AARG !

JE MEURS DE FROID !
C'EST NORMAL ! NOUS SURVOLONS LE GRAND NORD !

C'EST ICI ...
... LAISSE-MOI DESCENDRE !

...

QUE SE PASSE-T-IL ?
JE SUIS GELÉ !

VROUM !
AAAH !!!

BOUM!

QU... ?

GLA... GLA...
GLA... GLA...

UN AVION S'EST ÉCRASÉ !
ALLONS VOIR !

BASE DU LIEU-TE-NANT BLANC ...

UN AVION ? VOUS ÊTES SÛR ?

VOUS DEVRIEZ TROUVER UN GAMIN À BORD... IL N'Y EST PAS ?!
C'EST UN DES NÔTRES ?

QUI ...
... PEUT-IL BIEN ÊTRE ?

OUI CHEF !
IL A DÛ S'ENFUIR ! CHERCHEZ-LE !

CRR !!
TAP !
TAP !

ドラゴンボール
DRAGON BALL

LA TOUR DU MUSCLE...
QU'EST-CE QUE VOUS ATTENDEZ ?
TROUVEZ-MOI CE GAMIN !
LE LIEUTENANT BLANC.
JE LE VEUX ! MORT OU VIF !
ET VITE !!!

OÙ EST-IL CACHÉ ?
IL DOIT ÊTRE PAR LÀ ...
ZIP
ZIP

MAMAN ! OUVRE ! C'EST MOI !
TOC ! TOC !
QU... ?
J' L'AI TROUVÉ DANS LA FORÊT !
Toc !
Tic !
HUM...
MAMAN... IL EST RÉVEILLÉ !

OÙ SUIS-JE ?
AU VILLAGE DE JINGLE ! J'T'AI RAMASSÉ DANS LES BOIS !

BOIS ÇA...
... ÇA VA TE RÉCHAUFFER !

MERCI ...
TU AS DE LA CHANCE QUE MA FILLE SOIT PASSÉE PAR LÀ ...

TU M'AS PORTÉ JUSQU'ICI ?
OUAIP !!!

JE N'AI PAS COMPRIS CE QUI S'EST PASSÉ ... J'ÉTAIS À LA RECHERCHE DES DRAGON BALLS QUAND...
LES DRAGON BALLS ?!

TU FAIS PARTIE DE L'ARMÉE DU RUBAN ROUGE ?!

NON ! POURQUOI ?
C'EST QUOI EXACTEMENT L'ARMÉE DU RUBAN ROUGE ?

VIENS VOIR PAR LÀ !

ON DIRAIT QU'ON A TRAÎNÉ QUELQU'UN...
SUIVONS CETTE TRACE !

ALORS COMME ÇA, EUX AUSSI CHERCHENT LES DRAGON BALLS ?!
C'EST ENCORE UNE DRÔLE D'HISTOIRE.

HUM ...
QU'EST-CE QUE TU COMPTES FAIRE DES DRAGON BALLS?
JE CHERCHE JUSTE CELUI QUE M'AVAIT DONNÉ MON GRAND-PÈRE !

C'EST LE MÊME ...

... MAIS AVEC 4 ÉTOILES !

C'EST ÇA UN DRAGON BALL ?
OUI !

ET TU VOIS, CELUI DE MON GRAND-PÈRE A 2 ÉTOILES DE MOINS.

EN FAIT, AU TOTAL, IL EXISTE 7 DRAGON BALLS DISPERSÉS DANS LE MONDE...
... UN FOIS RASSEMBLÉS, ILS PERMETTENT DE FAIRE APPARAÎTRE LE DRAGON SACRÉ QUI RÉALISERA TON VOEU.

IL Y EN A UN À CÔTÉ D'ICI !
JE SAIS ! MON PÈRE ET SES AMIS LE CHERCHENT.

L'ARMÉE DU RUBAN ROUGE LES A RÉQUISITIONNÉS...
ILS TRAVAILLENT SOUS LA MENACE ...

ILS VEULENT S'EN SERVIR POUR DOMINER LA PLANÈTE !
JE COMPRENDS MIEUX !
C'EST POUR ÇA QU'ILS TIENNENT TANT À LES TROUVER.

VOUS N'AVEZ QU'À VOUS DÉFENDRE !
IMPOSSIBLE ! ILS SONT TROP BIEN ARMÉS !

EN PLUS, ILS ONT PRIS LE MAIRE DU VILLAGE EN OTAGE... ON EST TENUS DE LEUR OBÉIR !

ON VA VOIR ÇA !
ALLEZ ...

MERCI DE M'AVOIR SAUVÉ LA VIE ! JE VAIS LIBÉRER VOTRE VILLAGE !
PARDON ?

MAIS CE SONT DES ADULTES, ET TOI TU N'ES QU'UN ENFANT ! TU VAS TE FAIRE TUER !

BOUM

IL EST LÀ !
ON LE TIENT !

NON ! C'EST L'ARMÉE DU RUBAN ROUGE !
C'EST TON PÈRE ?
MON DIEU !
DONNE-NOUS TON DRAGON BALL !

...JE PARTAIS JUSTEMENT À VOTRE RECHERCHE!
VOUS TOMBEZ À PIC...

ZIP!
ZIP
YAAAH!

TAC!

...

PLAF!
QU... ?

COMMENT T'AS FAIT ÇA ?
C'EST SIMPLE : 6 COUPS DE POING ET 7 COUPS DE PIED !

À L'ATTAQUE !
JE VAIS DÉLIVRER VOS FAMILLES !!!

ZIP!

J'AI...
... RIEN EU LE TEMPS DE VOIR...

BRRR...
Y'FAIT PAS CHAUD !

TU N'ES PAS ASSEZ HABILLÉ !
JE VAIS TE PRÊTER DES VÊTEMENTS!
BRRR...

COOL !
C'EST CHOUETTE !
FAIS BIEN ATTENTION À TOI ! SOIS PRUDENT !

PAS DE PROBLÈME !
C'EST COOL !
MAIS AU FAIT...
... C'EST QUOI, CE TRUC BLANC ET FROID ?
BEN... DE LA NEIGE !
T'EN AVAIS JAMAIS VU ?

NON ! BIZARRE !

J'Y VAIS !
À L'AS-SAUT !
ZIP !

DRÔLE DE PETIT GARÇON...
J'ESPÈRE QU'IL NE LUI ARRIVERA RIEN...

COOL !!

CHLOPH!
YAAAH!!!
QU... ?
Y'A UN TRUC ANORMAL...
LIEUTENANT ! UN GAMIN SE DIRIGE VERS NOUS !
C'EST LUI !!!

YAAH !

QUEL IDIOT...
...IL SE JETTE DANS LA GUEULE DU LOUP !
TAC! TAC!
BING!
BING!
BING!
BING!
BING!
BING!

BATON MAGIQUE !!!
CHLOPH!
VLAM

ZIP!
PLAF!
HOP!

ZIP
TOC !
HÉ ! HÉ !

ENFIN UN ADVERSAIRE DIGNE D'INTÉRÊT !
IL SE DÉFEND BIEN ...

ドラゴンボール
DRAGON BALL

RR
RR

SANGOKU A DÉCIDÉ DE PRENDRE D'ASSAUT LA TOUR DU MUSCLE, ET DE LIBÉRER LE MAIRE DU VILLAGE RETENU EN OTAGE. LES PREMIÈRES LIGNES FRANCHIES, LE PLUS DUR RESTE À FAIRE...

OÙ PEUVENT-ILS ÊTRE ?
HÉ, GAMIN ?! TU M'ENTENDS ?
BIENVENUE DANS LA TOUR DU MUSCLE...

JE NE SAIS PAS CE QUE TU ES VENU FAIRE ICI, MAIS IL EST TROP TARD POUR FAIRE DEMI-TOUR !
QUI EST-CE QUI PARLE ?

JE VIENS LIBÉRER LE MAIRE !

LE MAIRE ?! CE SONT LES VILLAGEOIS QUI T'ENVOIENT ?

OK ! POUSSE LA PORTE ET MONTE LES ESCALIERS !
UN PEU DE COURAGE ...LE MAIRE EST EN HAUT !

DÉPÊCHE-TOI ...
...NOUS T'ATTENDONS ! TROUILLARD !

TU VAS VOIR !

CRAC !

CLAC !

SALUT MON POTE !

ON PEUT LE TUER ?
C'EST MÊME RECOMMANDÉ !
C'EST POURTANT PAS TRÈS EXCITANT...
...D'ATOMISER UN GAMIN...

PRENDS ÇA !

YAAH !!!

BING!

PLAF!
CUI !
CUI !
DING !
!!

ON VA TE FAIRE LA PEAU !
TU VAS CREVER, SALE MIOCHE !

YAAH!

BING!
PAF

HUM...
TU ES MORT !!!
TAC!
TAC!
OÙ EST-IL PASSÉ ?
ICI !
QU ?
TOC !

TIENS !!!
BING!

OUF !
QUELLE CHALEUR !

METTONS-NOUS À L'AISE...

SACRÉ PHÉNOMÈNE ! IL PRATIQUE LES ARTS MARTIAUX...
INTÉRESSANT !

IL VA ARRIVER JUSQU'ICI ?
IMPOSSIBLE !

PERSONNE N'A JAMAIS VAINCU LE SERGENT MÉTALLIQUE !

DOMMAGE, JE LUI...
CRAC !
...AURAIS BIEN FAIT SA FÊTE !

SERGENT MÉTALLIQUE, TENEZ-VOUS PRÊT ! LE GAMIN ARRIVE !

BON !
ALLONS-Y !
HOP !
ZIP !
SALUT.
EN-CHANTÉ !

L'ESCA-
LIER
EST
LÀ ...
... MAIS
IL VA
FALLOIR
TE BATTRE
POUR Y
PARVENIR !
T'ES
VACHE-
MENT
GRAND !

UNE
MINUTE,
ENVIRON
...
COM-
BIEN DE
TEMPS
POUR
L'ÉLIMI-
NATION
?

T'ES SÛR
QUE TU
VEUX
TE
BATTRE
?

JE
SUIS
TA
MORT
!!!

CHLOPH!
PAF
POUM!

OÙ ES-TU ?

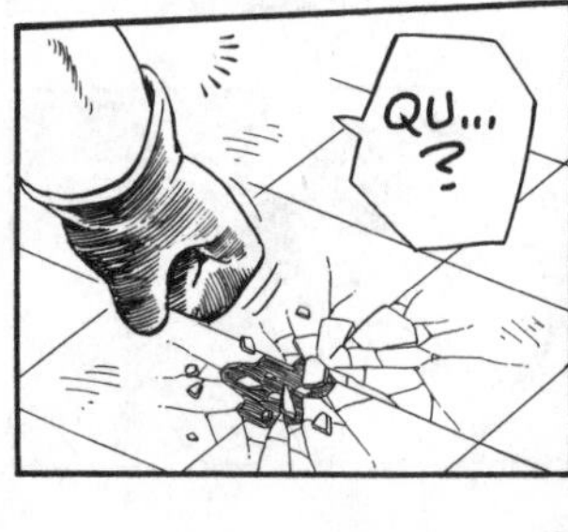
QU... ?

HOP !
ZIP
PAN
QU... ?
BOUM!

AARG !
BOUM !
ET VOILÀ !

MAIN-TE-NANT !

CLING !
... PRENEZ GARDE !!!

PLAF !
AAAH !!!

JE VAIS T'ÉCRABOUILLER !
GRR...
AÏE !
GRRR !
GRRR
HOP !
CHLOPH !

HUM...
TU VAS LE REGRETTER !

YAAH !
BOUM !
PLAF !
GRUMF !
CRAC !
GASP !

DRAGON BALL

ドラゴンボール

QU...? C'EST PAS CROYABLE !

CLING !

MON ATTAQUE...
... NE LUI A RIEN FAIT !

ZIP !
PLAF !

ZIP!

BING!

PLAF!

BOUM

TOC !

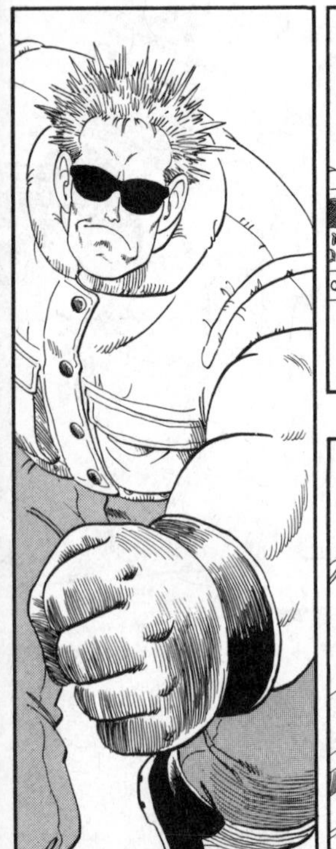

C'EST FINI !
2 MINUTES ... PAS TERRIBLE !

CLING !!!

CHLOPH!!
CHLOPH!
HOP!

BING!
YAAH!
ZIP!

BOUM!
OUILLE !!!
IL A LA TÊTE DURE!

IL EST TOUJOURS EN COURSE !...
HUM ...

LE SERGENT EST EN COLÈRE...
... IL VA N'EN FAIRE QU'UNE BOUCHÉE !

CLING !
NON !

JE SUIS TA MORT !
TU TE RÉPÈTES...

CLING !!!

QU... ?

POUM !

BOUM
ET...
...VOILÀ !
FLOP!
HÉ ! HÉ !
BRAVO !

OUF ! JE L'AI ÉCHAPPÉ BELLE !
CLING !

COS-TAUD...
... LE BON-HOM-ME !
IL NE ME RESTE QU'UNE SOLU-TION...
... LE KAMEHA-MEHA !

COU-COU !
ME REVOI-LOU !
!!
QU...?!
COM-MENT !!!

TU VAS FAIRE CONNAISSANCE AVEC MA TECHNIQUE PRÉFÉRÉE !
UNE ! DEUX ! ET TROIS !

GRR
KA...
...ME...
...HA...
...ME...
...HA !

CRAC!
MAIS...
AAAH!

CLING !
QU... ?

IL N'A PLUS DE TÊTE !
J'Y SUIS ALLÉ UN PEU FORT...
GLOUPS !

C'EST QUOI CETTE TECHNI-QUE ?!

PAR-DONNEZ-MOI, SEI-GNEUR...
CLING !

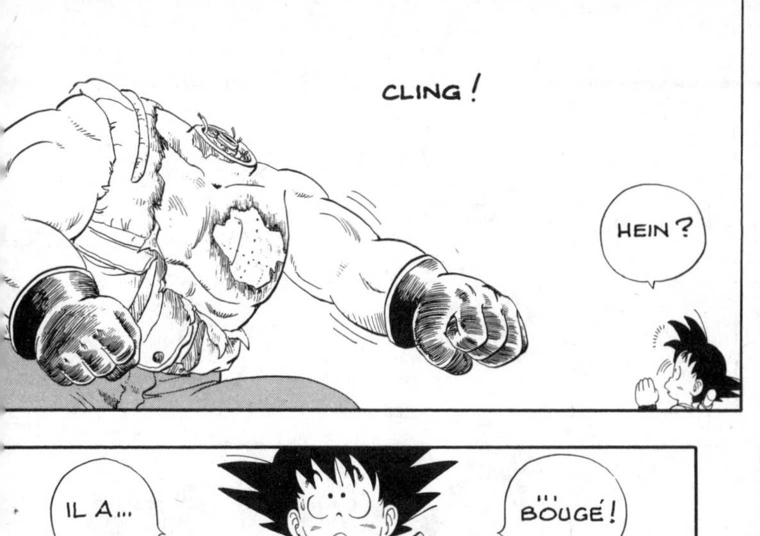
CLING !
HEIN ?
IL A...
... BOUGÉ !

ZIP!
PAF
OUILLE !!!

CLING !

BOUM!
AARG !!!

PLAF!
OUPS !!!

COMMENT EST-CE POSSIBLE ?

...LE SERGENT EST UN ROBOT !
TU NE LE SAVAIS PAS, MAIS...

BING!
HÉ !

OK !
CETTE FOIS, JE VAIS TE MONTRER CE QUE JE SAIS FAIRE !

FLOP !

TIENS ...
?

IL...
...NE BOUGE PLUS !

IL N'A PLUS DE BATTERIE !
C'EST PAS VRAI !

MON-TONS !
ZIP !
C'EST PAR LÀ ! JE LE SENS !

IL SE DÉBROUILLE BIEN, CE PETIT !
QU'EST-CE QUE T'ATTENDS POUR ALLER L'ARRÊTER ? VAS-Y !

ドラゴンボール
DRAGON BALL

LA VOIE EST LIBRE ! SANGOKU S'ENGOUFFRE DANS LES ÉTAGES TEL UN PETIT DIABLE. LA LIBÉRATION DU MAIRE NE SAURAIT TARDER...

ZIP !
NOUS Y VOILÀ !
TAP !
HUM...
QU... ?

ÉTRANGE !

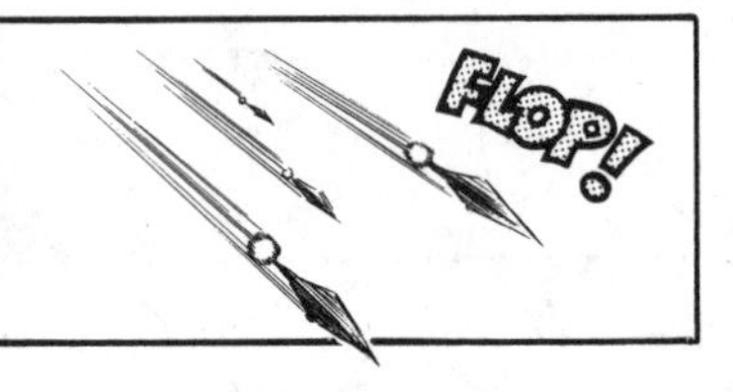
FLOP !

UNE FORÊT À L'INTÉRIEUR DE LA TOUR ?!

AARG !
PLAF !

TOC !
!!

LÂCHE !!!
MONTRE-TOI !

FÉLICITATIONS ! TU VIENS DE RÉALISER CE QUE PERSONNE N'AVAIT JUSQU'ALORS RÉUSSI...

... MAIS C'EST ICI QUE S'ARRÊTE TON CHEMIN. CETTE FORÊT SERA TON CERCUEIL !

CHLOPH !
AAH !
ZIP !
PLAF !
TU ES PLUS RAPIDE QUE JE NE PENSAIS...
... JE SAIS MAINTENANT À QUI J'AI À FAIRE !
OÙ PEUT-IL BIEN SE CACHER...
LÀ-BAS ...?

OUAIS ! LÀ-BAS !!!
FLOP !

BOUM !!!
AAH !

PAF
AÏE !

HÉ ! HÉ !

QUEL AFFREUX PETIT !

LE HASARD ...
... TU M'AS EU PAR HASARD !

PAS DU TOUT ! JE T'AI VU...
MEN-TEUR !
C'EST IMPOS-SIBLE !

VÉRI-
FIONS
!!!

YAAH !
HÉ !
PLAF !

PLOF...

QU... ?
MAIS
...

ESSAYE DE ME TROUVER MAINTENANT, SI T'ES SI MALIN !

TAP !

TU ES LÀ !

...
TU ME VOIS?
OUI!

AAH !!!
JE ME SUIS TROM-PÉ DE CA-MOU-FLAGE !

NORMA-LEMENT, C'ÉTAIT CELUI-LÀ...
HUM...

BON, C'EST PAS LE TOUT ! REDEVENONS SÉRIEUX ! TU M'AS TROUVÉ...

... ALORS NOUS ALLONS PASSER À PLUS DIFFI-CILE !...
FERME LES YEUX, ET COMP-TE JUS-QU'À 30!

1
2
3
4

15
16
17
18
...
...

C'EST QUOI, APRÈS 18 ?
TU N'AS PAS LE DROIT DE TE RETOURNER !

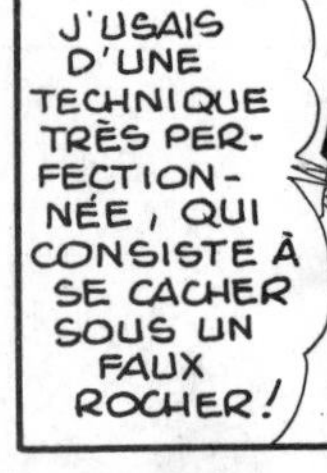
J'USAIS D'UNE TECHNIQUE TRÈS PERFECTIONNÉE, QUI CONSISTE À SE CACHER SOUS UN FAUX ROCHER !

TOC ! TOC !
?

GRRR !
APRÈS 18, C'EST 19, PUIS 20...

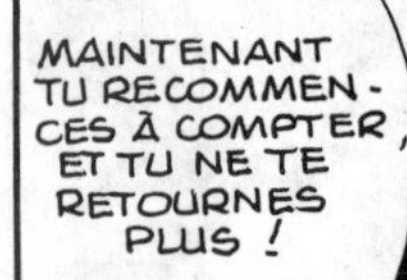
MAINTENANT TU RECOMMENCES À COMPTER, ET TU NE TE RETOURNES PLUS !

TU AS INTÉRÊT À OBÉIR, CETTE FOIS !

25
26
27
28
29
30

HÉ ! HÉ !
GÉNIAL !!!

BLOUB !
BLOUB !
IL EST SUPER BIEN CACHÉ !

BLOUB !
QU... ?

BLOUB !
BLOUB !
ÉTANG
CETTE FOIS...
... IL NE DÉCOUVRIRA PAS MA TECHNIQUE SOUS-MARINE !

ZIP !

HÉ ! HÉ !

AH!
AARG !

AÏE !
OUILLE !!!
TROUVÉ !
ÇA VA PAS LA TÊTE ? TU M'AS ÉBOUILLANTÉ !

GRRR
C'EN EST TROP !
FINIE LA RIGOLADE !!!
REGARDE-MOI...
...BIEN, ET ESSAYE DE ME SUIVRE !
ZIP !!!

ZIP !
ADMIRE LA VITESSE DU NINJA !
TU VAS VOIR...
ZIP!

QU... ?
COMMENT... ?

PRENDS ÇA !!!
ZIP
PAF
PAF
AÏE !

ÇA PIQUE, TES MACHINS !!!

J'T'AI EU !
COMME ÇA TU NE POURRAS PLUS ME SUIVRE !

QUE TU CROIS !
ZIP

GRRR !
IL EST INFATI-GABLE !

LISEZ LA SUITE DES AVENTURES DE SANGOKU DANS DRAGON BALL

TOME 6 : L'EMPIRE DU RUBAN ROUGE_

ドラゴンボール
DRAGON BALL

DRAGON BALL

Collection Manga

Par Akira Toriyama

Dragon Ball

Tome 1 : Sangoku

Tome 2 : Kamehameha

Tome 3 : L'initiation

Tome 4 : Le tournoi

Tome 5 : L'ultime combat

Tome 6 : L'empire du ruban rouge

Tome 7 : La menace

Tome 8 : Le duel

Tome 9 : Sangohan

Tome 10 : Le miraculé

Tome 11 : Le grand défi

Tome 12 : Les forces du mal

Tome 13 : L'empire du chaos

Tome 14 : Le démon

Tome 15 : Chi-chi

Tome 16 : L'héritier

Tome 17 : Les Saïyens

Tome 18 : Maître Kaïo

Tome 19 : Végéta

Tome 20 : Yajirobé

Tome 21 : Monsieur Freezer

Tome 22 : Zabon et Doria

Tome 23 : Recoom et Guldo

Dr Slump

Tome 1

Tome 2

Tome 3

Tome 4

Tome 5

Tome 6

Tome 7

Tome 8

Par Kenichi Sonoda

Gunsmith Cats

Tome 1

Par Kazushi Hagiwara

Bastard

Tome 1

Tome 2

Par Rumiko Takahashi

Ranma 1/2

Tome 1 : La source maléfique

Tome 2 : La rose noire

Tome 3 : L'épreuve de force

Tome 4 : La guerre froide

Tome 5 : Les félins

Tome 6 : L'ancêtre

Tome 7 : L'affront

Tome 8 : Roméo et Juliette

Tome 9 : Le cordon bleu

Par Naoko Takeuchi

Sailor Moon

Tome 1 : Métamorphose

Tome 2 : L'homme masqué

Tome 3 : Les justicières de la lune

Tome 4 : Le cristal d'argent

Tome 5 : La gardienne du temps

Tome 6 : La planète Némésis

Tome 7 : Black Lady

Tome 8 : Le lycée Infini

Tome 9 : Neptune et Uranus

Tome 10 : Sailor Saturne

Par Yukito Kishiro

Gunnm

Tome 1

Tome 2

Tome 3

Tome 4

Tome 5

Tome 6

Tome 7

Par Murata/Hamori

Noritaka

Tome 1

Tome 2

Tome 3

Tome 4

Tome 5

Tome 6

Par Osamu Tezuka

Black Jack

Tome 1

Astro Boy

Tome 1

Roi Léo

Tome 1

Collection Akira

Par Katsuhiro Otomo
Akira
Tome 1 : L'autoroute
Tome 2 : Cycle wars
Tome 3 : Les chasseurs
Tome 4 : Le réveil
Tome 5 : Désespoir
Tome 6 : Chaos
Tome 7 : Révélations
Tome 8 : Le déluge
Tome 9 : Visions
Tome 10 : Revanches
Tome 11 : Chocs
Tome 12 : Lumières
Tome 13 : Feux
Tome 14 : Consécration
Par Satoshi Shiki
Riot
Tome 1
Tome 2
Par Chabuel/Banzet/Gess/Color Twins
Kazendou
Tome 1

Par Masamune Shirow
Appleseed
Livre 1
Livre 2
Livre 3
Livre 4
Livre 5
Orion
Tome 1
Tome 2
Ghost in the shell
Tome 1
Tome 2
Par Morvan/Buchet/Savoïa/Chagnaud
Nomad
Tome 1 : Mémoire vive
Tome 2 : Gaï-Jin
Par Morvan/Savoïa/Savoïa
Tome 3 : Mémoires mortes
Par Trantkat/Tranoy/Trübe/Morvan/
Color Twins
H.K.
Tome 1

Collection Kaméha

Par Ikegami / Koike
Crying Freeman
Tome 1
Tome 2
Par Okada / Otomo
Zed
Par Minagawa / Takashige
Striker
Tome 1
Tome 2

Par Ikegami / Fumimura
Sanctuary
Tome 1
Par Hisashi Sakaguchi
Ikkyu
Livre 1
Livre 2
Version
Tome 1

Egalement chez Glénat

Par Hayao Miyazaki
Porco Rosso
Tome 1
Tome 2
Tome 3
Tome 4
La légende

Par Masaomi Kanzaki
Street Fighter
Tome 1
Tome 2
Tome 3
Tome 4